El rey Hugo y el Dragón

Para Theo, alias Rey Jack, y sus amigos de cabaña. P. B.

Para Jesse. H. O.

Título original: King Jack and the Dragon

Con el acuerdo de Puffin Books, un sello de Penguin Books, Ltd., 80 Strand, Londres WC2R ORL, Reino Unido

Provença, 101 - 08029 Barcelona
info@editorialjuventud.es
www.editorialjuventud.es
Traducción de Teresa Farran
Primera edición, 2011
ISBN 978-84-261-3832-3
Núm. de edición de E. J.: 12.338
Printed in China

El rey Hugo y el Dragón

PETER BENTLY y HELEN OXENBURY

editorial juventud
Barcelona

Hugo, Iván y Marcos
construyen una cabaña,
un castillo inexpugnable para el rey Hugo y sus soldados.

Una caja grande de cartón,

una sábana vieja y cuatro palos,

una bolsa de basura
y unos ladrillos abandonados.

Un bonito trono real
de un edredón gastado,

un puente levadizo,

una bandera,

¡y el castillo
ya está acabado!

«¡Preparaos para luchar, valientes caballeros!»,
gritó el rey Hugo desde un torreón.
«Defenderemos el castillo
contra el terrible dragón.»

Pasaron el día de esta manera…

combatiendo dragones . . .

y fieras.

¡Fueraaa!

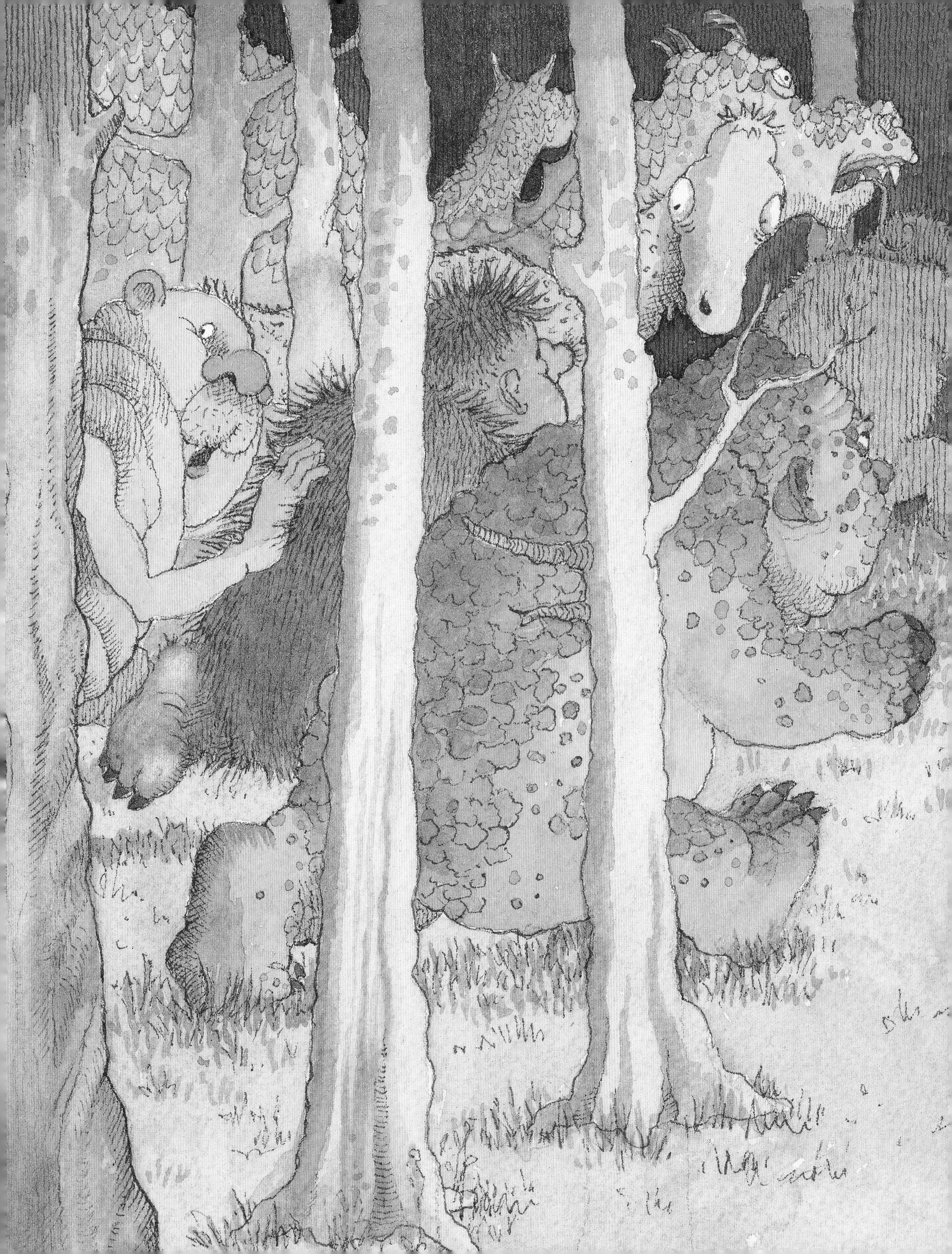

Y regresaron a su fortaleza
para hacer una gran fiesta.
«Esta noche –el rey Hugo dijo–,
dormiremos todos en el castillo.»

Pero un gigante llegó
y al valiente Iván
se llevó.

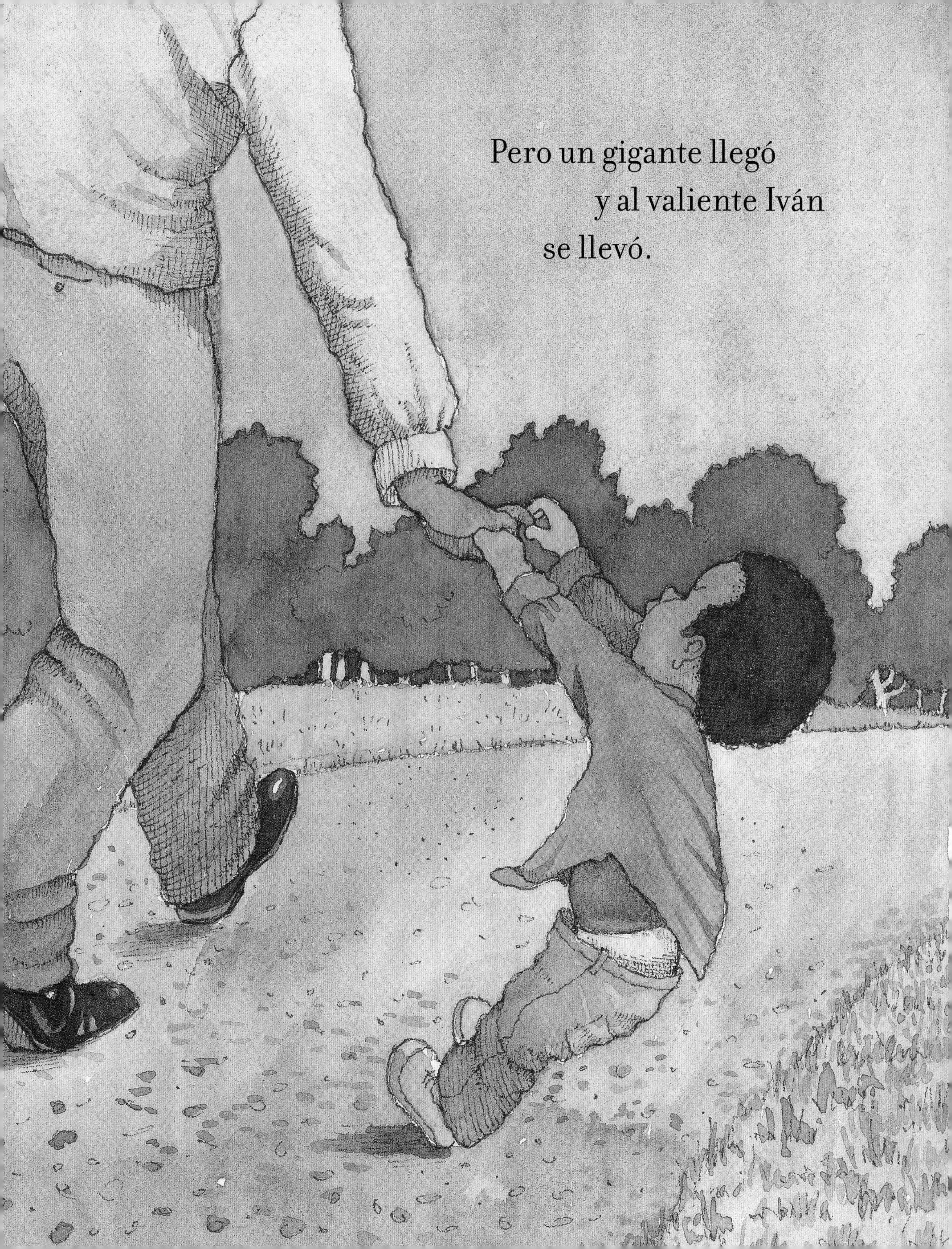

«Nosotros podemos contra cualquier dragón
—dijo Hugo—. Tú tranquilo.»

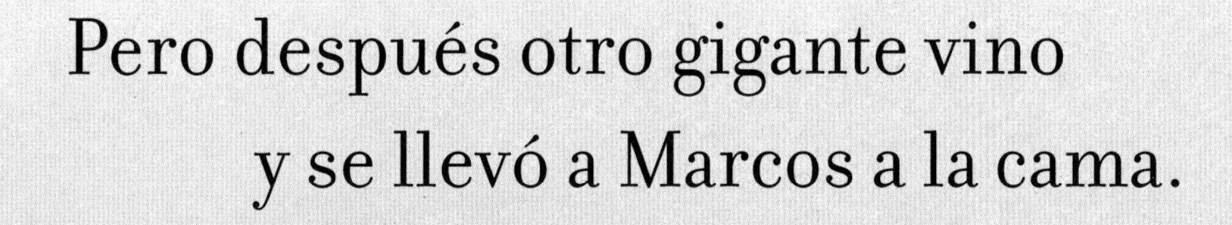

Pero después otro gigante vino
y se llevó a Marcos a la cama.

Hugo se envolvió en su manta
y se sentó en su trono,
«Pues vaya –se dijo–, lucharé yo solo.»

Luego un viento embravecido
empezó a agitar los árboles.
«No es nada», pensó Hugo, con un ligero escalofrío.

scrrrii-scrrriiic

Por el techo cruzó un ratón,
y Hugo pensó: «No pasa nada.
¡Esto no es un dragón!»

«¡CROAC!», hizo una rana.
«No es nada», pensó Hugo,
pero encendió la linterna porque ya estaba muy oscuro.

«¡Uh uh!», ululó el búho. «No pasa nada»,
se dijo Hugo, y escondió la cabeza bajo la sábana.

Pero
de repente
el corazón del valiente
rey Hugo se detuvo.

Escuchaba **algo** que se acercaba,

¡una COSA
de **cuatro patas**!

Estaba detrás del puente levadizo.

«¡Un dragón, un dragón!

—el rey Hugo gritó—:

¡Mamá, papá, auxilio!»

Hubiera renunciado a todo su reino
para no tener que enfrentarse a . . .

¡AQUELLO!

«Lo siento –dijo mamá con un abrazo–, no queríamos asustarte, pero ya es hora de que los reyes vayan a acostarse.»

«Y los reyes que han luchado contra los dragones todo el día –dijo papá– necesitan un buen baño.»

«Yo ya sabía que no era un dragón»,
dijo Hugo con un bostezo.
Y montó el rey valeroso
en los hombros de un gran coloso.

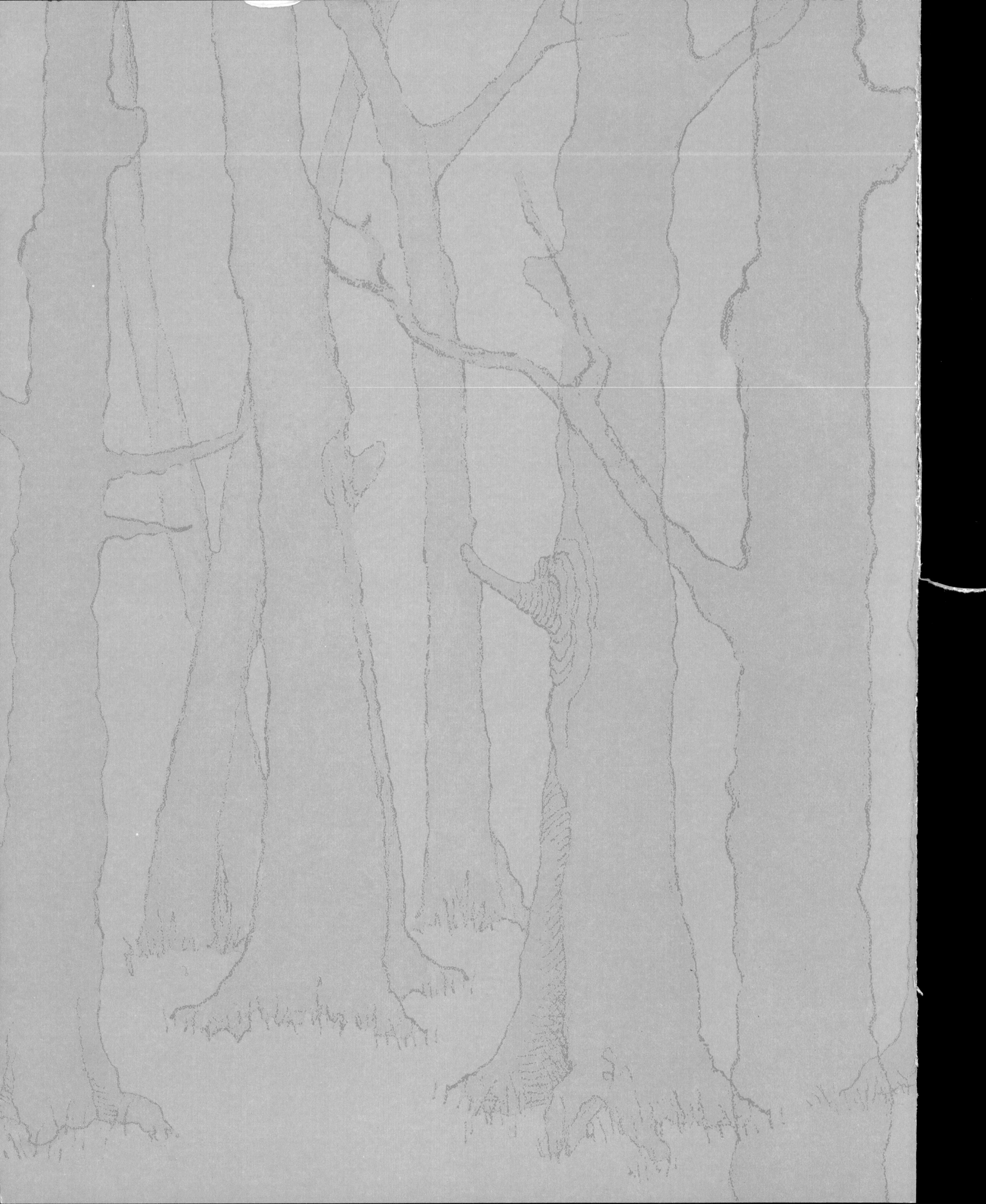